El Oro y El Barro

al poeta
Manuel Benitez
50

Manuel Benítez Carrasco

El Oro y El Barro

EDITORIAL DIANA
MEXICO

SEPTIMA EDICION, MEXICO 1987
Primera Edición de EDITORIAL DIANA, S. A. DE C. V.
Diciembre de 1987
2a. Impresión, Diciembre de 1988

ISBN 968-13-1825-0

Ilustraciones: Víctor Ma. Cortezo

CANCION DEL ORO

GABRIELILLO

I

Gabrielillo tenía ojos verde mar.
Verdes como el prado
de la eternidad.

Gabrielillo tenía boca de heliotropo.
Y en ella traía
la flor del piropo.

Gabrielillo tenía de pluma los pies.
¡Palomas volando
sobre Nazaret!
¡Ay, qué Gabrielillo,
tan requetepillo,
tan requetesol!
Y se le tocaba ¡tin!
y al punto decía: "Contigo el Señor".

¡Como que era el ángel
de la Anunciación!

II

Gabrielillo tenía las alas de nube.
Con las nubes baja . . .
con las nubes sube . . .

Gabrielillo tenía túnica de nieve.
. . . Parece que nieva
si Gabriel se mueve.

Gabrielillo venía moviendo los pies,
como campanillas
cerca de Belén.
¡Ay, qué Gabrielillo,
tan requeteguapo,
tan requetepillo.
Y se le tocaba ¡tin!
y al punto decía: "Gloria en las alturas".

Y en su voz traía
la buena ventura.

LA ANUNCIACION

A MARÍA TERESA JAÉN.

Era mediodía
sobre Nazaret.
Palmeras . . . silencio . . . La Virgen María,
silencio y palmera,
oraba y oraba,
dorada como la mies
y humilde como la cera.

En la lejanía
tuvo una palmera
un breve temblor.
Después . . . la pradera,
bogando mecía
sus matas en flor.
Después . . . en la fuente,
deliciosamente
se movió el cristal
puro y transparente.

Después . . . el rosal
tembló dulcemente,
mitad de respeto, mitad de humildad,
y después . . . la puerta,
como si se hubiera quedado entreabierta
se llenó de sol.

La Virgen María,
como no quería para su oración
tanta luz del día,
se iba a levantar a cerrar la puerta;
mas no estaba abierta, como ella creía.
Que aquel resplandor,
no era luz del día
sino luz de Dios.

La Virgen, que estaba como ciega, ciega
de tanto fulgor,
cuando a mirar llega,
ve que, donde estaba la luz que cegaba.
se le arrodillaba
un joven hermoso, todo resplandor.

La Virgen temblaba
llena de rubor,
y para calmarle, el ángel decía:
"Dios te salve, María,
de gracia llena."

En la puerta reía
la luz del mediodía;
allá, en la lejanía,

la delgada palmera,
dulce se estremecía;
en el rosal del huerto
las rosas se encendían
y en la fuente serena
  la espuma sonreía,
al escuchar la nueva
que el ángel le traía
a la Virgen María:

    No temas, doncella
    de la trenza dorada,
    sencilla y bella
    como una madrugada.
    Que si en tus entrañas nacerá el Señor,
    será como un copo de nieve que cae
    sobre la blancura de un botón en flor;
    ni el copo se rompe ni la flor se mancha
    y quedan tan blancos como antes los dos.
    No temas, por tanto,
    doncella dorada,
    primavera y flor.
    Que el copo de nieve que el Señor te envía,
    te ha de hacer, María,
    la Madre de Dios.

  Sintió en sus entrañas un soplo de amor.
El aire del huerto quedó en oración,
mientras que la Virgen, que estaba humillada,
abierta en botón,
se sintió de pronto,
la Madre de Dios.

CUANDO ELLA DIJO QUE SI

Cuando ella dijo que sí,
dijo el romero que no . . .
Que no me merezco yo
que se sequen sobre mí
los pañalitos de Dios.

Cuando ella dijo que sí,
ensayó una borriquilla
su aliento de más calor,
para una noche de invierno
junto a la cuna de Dios.

Cuando ella dijo que sí,
la espiga aprendió lecciones
teológicas con la vid,
y un temblor de Eucaristía
pulsó los pulsos de Abril.

Cuando ella dijo que sí,
sobre las zarzas del campo
volaron las golondrinas
y aprendieron a llevarse
en el pico las espinas.

Todas las cosas pequeñas
empezaron a cumplir
su parte en la Redención,
cuando ella dijo que sí.

CUANDO EL ANGEL SE MARCHO

A VÍCTOR MARÍA CORTEZO.

Temblor de plumas plegadas
en señal de adoración.
¡Qué olor a gloria quemada
dentro de la habitación!

Por la puerta...
¡Aire, que salgo!
¿quién salió...,
quién saldría?...

Salió tan sólo un rumor
de plumas recién abiertas,
pero en la puerta quedó
un musgo de Ave María
y un eco de Anunciación.

El rosal...
¡Aire, que paso!

¿Quién pasó . . . ,
quién pasaría
tan sin pies y tan de raso,
para que todo el rosal
se empinara? . . .
¡Aire, que paso!
. . . Y qué murmullo de alas
movió las rosas al paso.

En la fuente . . .
¡Aire, que salto!
¿quién saltó,
que estando el agua serena
de pronto se estremeció? . . .
Sobre el agua saltó el dulce
ángel de la Anunciación.
Y a su viento,
el claro cristal cuajó
de espumas su encantamiento . . .
. . . ¡Pero no!
No fue el agua, que, al temblar,
frunció nevadas espumas.
Fue que al ángel, al saltar,
se le mojaron las plumas.

Por la pradera . . .
¡Aire, que vuelo!
¡Qué rumor de alas tendidas
por la pradera se fue!
Cada flor nube pequeña
para el apoyo del pie . . .

¡Aire, que vuelo!
para el apoyo del ala . . .
¡Aire, que vuelo!
¡Para el apoyo del cielo!

Y en la lejanía . . .
¡Aire, que subo!,
la palmera se movió . . .
la palmera se movía
como diciéndole adiós.
Todo Nazaret quedó
transido de Ave María
y blanco de Anunciación.

EL PRODIGIO MAYOR: MI NACIMIENTO

A Maribel Morcillo.

I

¿Prodigio?...
¡Yo os lo ofrezco!
Y este mío,
no tendrá ni una estrella en el Oriente,
ni un alivio de arcángel sobre el frío
ni un rescoldo de luna en el relente.

Sólo tendrá algodones, lienzos, leña,
papel de plata y barros repintados,
y una sutil poesía navideña
tensando ríos y tendiendo prados.

Tendrá una Virgen de postrada arcilla,
tendrá un barbudo San José de cromo,
vara florida y cara de perverso.

Pero venid, venid a mi bohardilla,
y entre estas pobres cosas veréis cómo
Dios nace y se arrodilla el Universo.

II

Plumón dormido sobre el valle mudo
baja la flor del frío blanca y breve.
Por un monte de saco, cal y engrudo
un ángel se pasea y no se mueve.

Arde lejos la hoguera. ¡Qué menudo
rubí sin llama! Y bajo el puente leve,
helado corre el río que no pudo
replicar con espumas a la nieve.

Como una ahorcada celestial, la estrella
pende de un árbol. Rota la garganta
se arropa el ave y se recoge el viento.

Y yo, como un pastor sin pan ni huella,
miro extasiado al Sol que se levanta
sobre los campos de mi Nacimiento.

III

No te pido correr por esos prados
—niños de nieve pura y pluma leve—,
porque yo sé, Señor, que mis pecados
no pueden caminar sobre la nieve.

No te pido ser Mago con incienso
ni pastor con corderos sin mancilla,
porque al pensar en mi miseria, pienso
que no merece tanto tanta arcilla.

Tampoco quiero ser un angelillo,
aunque yo sé muy bien que te traería
sobre mis alas un rosal de luna.

Sólo te pido ser un borriquillo
con un vaho caliente de poesía
para templar las pajas de tu cuna.

LA NIEVE Y LA BORRIQUILLA

A RAFAEL DUYOS.

La borriquilla veía
que iba andando sobre nieve.
Sin embargo, no sabía
que iba andando bajo nieve.

La Virgen iba entre tanto,
medio gozo, medio llanto:
Blanco el camino,
blanca la flor.
¿Dónde está el lino
para mi amor?

La borriquilla sentía
un dulce peso de nieve.
Sin embargo, no sabía
que estaba encinta la nieve.

La Virgen iba entre tanto,
medio pena, medio canto:
Blanco el paisaje,
blanca la flor.
¿Dónde está el traje
para mi amor?

La borriquilla sabía
que estaba encinta la nieve.
Sin embargo, no sentía
su doble peso de nieve.

San José iba entre tanto,
medio gozo, medio llanto:
Que el aire leve
no diga nada,
porque la nieve
viene callada.
Y en risa leve
salte la vida,
porque la nieve
viene florida.

La borriquilla sentía
un doble peso de nieve.
Sin embargo, no sabía
que llevaba el mundo en nieve.

San José iba entre tanto,
medio pena, medio canto:
Está el romero
todo engolado,

porque el alero
se le ha nevado.
Y va callada
mi borriquilla,
yendo nevada
de maravilla.

La borriquilla sabía
que llevaba el mundo en nieve.
La borriquilla sabía
el peso de aquella nieve,
pero ella no lo sentía.

La borriquilla sabía . . .
¡qué bien supo de la nieve
y de aquel peso tan leve
de la nieve
de María!

A LA MEDIA NOCHE

A Ventura San Simón.

A la media noche
íntima de albor,
—nieve por el monte,
todo el monte, flor—,
angelillos como escarcha,
las alas como algodón,
corre que te corre, brinca que te brinca
arroyito abajo, arroyito arriba
en busca del Sol.

Angelillos como plata,
las alas como temblor,
corre que te corre, salta que te salta,
unos con linterna, otros con farol;
—¿Pasó por aquí?
—Por aquí pasó
hace nueve meses
vestido de Sol,
caminito abajo
de la Redención.

Angelillos volanderos
forjados en resplandor
enredándose las alas
como arrebolillos de oro en confusión,
pesebre abajo, pesebre arriba
quitaban, ponían las pajas . . .
Ya le quitan una . . .
ya le ponen dos . . .
—Esta no está limpia . . .
—Esta está mejor . . .
Ya le ponen otra,
ya le quitan dos.

¡Qué revuelo de arcángeles chicos
y de querubines, retales de Dios,
cuando entró en la cueva el alba hecha niña
con su dulce peso celeste de sol!

Y, de pronto, los ángeles nieve,
los ángeles plata, los ángeles oro,
tornados en lumbre se hicieron crisol.
Y a la media noche, cuando el aire estaba
transido de oro, de plata, de nieve
y de amor de Dios,
vino el Sol al mundo
tan calladamente,
tan sencillamente,
que ni se notó.
Y a pesar de ser el Sol,
una borriquilla
se puso a darle calor.

DE LA NIEVE NACIO EL FUEGO

Entre la nieve está el fuego
a punto ya de ser sol.
San José tiembla de frío,
la Virgen María, no.

—Por ti me apeno, María.
—No ves que tengo calor . . .!
No ves que me arde arde
dentro la hoguera de Dios!

De la nieve nació el fuego
y Diciembre se incendió.
San José tiembla de frío,
la Virgen María, no.

—Por ti me apeno, María.
—No ves que el niño llegó
y está quema que me quema
la llama que me quedó!

Pura nieve ríe el fuego,
¡se está derritiendo el sol!
San José tiembla de frío,
la Virgen María, no.

—Por El me apeno, María.
—Pero yo no puedo, no,
por más que quiera y que quiera,
hacerle un abrigo al sol.

La nieve vela que vela
al fuego que se durmió.
San José tiembla de frío,
la Virgen María, no.

LETRILLAS DE MARIA Y JOSE ESPERANDO EL NACIMIENTO

A ESPERANZA CORTEZO.

—¿Te acuerdas de Nazaret?
y de aquella tarde, tarde? . . .
—Sí que me acuerdo, José.

—Estaba yo en el taller,
¿te acuerdas? . . . , y vino un aire . . .
—Sí que me acuerdo, José.

—Vino el aire sin saber
por dónde. ¡Qué aire tan suave!
—Ay, qué aire tan dulce aquél.

—Y aquel aire se me fue,
se me fue porque era un ángel.
—Sí que me acuerdo, José.

—Y el ángel que se me fue,
llegó hasta ti con el aire.
—Sí que me acuerdo, José.

—Cuando vine del taller,
¿te acuerdas?..., por ocultarte...
—Sí que me acuerdo, José.
...callaste como un clavel
lo que te había dicho el ángel

Pero al volver al taller,
no sé si fue aquello el aire
o el ángel, no sé quién fue,
me contaron lo del ángel,
¡y qué bien que me enteré!
—Sí que me acuerdo, José.

—¡Qué pronto se me hizo tarde!
Y después, después..., después...
—Calla un momento, José;
dile al viento que se calle,
que acaba de llegar El.

—¿El que te predijo el ángel
en aquella tarde, tarde
tan dulce de Nazaret?

—Calla. Que de aquella tarde,
con la dicha de esta noche,
¡ya no me acuerdo, José!

NANA

A Pepito Castells.

El niño tiene en la cuna
no sé cuántos angelillos
enganchados de la luna.

Cien soldaditos de plomo,
tres Reyes Magos de dulce,
cinco pájaros de oro.

Y tiene, ¡qué disparate!,
un perro de caramelo
y un monte de chocolate.

Pero, sobre todo, tiene,
y él no sabe lo que es,
una madre . . . , ¡una madre
que se lo quiere comer!

LETRILLAS A LA PUREZA DE MARIA

A AGUSTÍN DE FIGUEROA.

Y fue que dijo aquel Ave:
  Baje la flor a la nieve.
Y la flor cayó tan suave,
que no se rompió la nieve.

I. *Antes del parto.*

Cuando aquel ave de pluma
trajo en la pluma aquel "Ave",
la nieve se sintió grave
y el mundo se creyó espuma.
  Y cuando dijo la pluma:
    Baje la flor a la nieve,
la flor cayó tan suave,
que no se rompió la nieve.

II. *En el parto.*

Los ángeles, pluma y ala,
hicieron biombos de pluma;
pluma que era, por más gala,
luz de nieve y piel de espuma.
Y cuando entre pluma y ala
estaba oculta la nieve,
la flor brotó tan suave
que ni la notó la nieve.

III. *Después del parto.*

Cuando la luna saltó
del agua en que estaba echada,
el agua cristal quedó,
y a más de cristal, lunada.
Y cuando de aquella nieve
saltó la flor de la vida,
la nieve quedó tan nieve
y a más de nieve, florida.

No quedó rota la nieve
ni manchada su hermosura,
porque además de ser leve
la flor era toda pura.

Y no pudo tal blancura
manchar ni romper tal nieve,
porque aquello fue una suave
nevada sobre la nieve.

ALEGRIA Y AMARGURA DE AMAR

A María de los Reyes.

Alegría de amar. ¡Ay, alegría,
gozosa Anunciación, Ave María!

Flor de relente bajo el cielo frío,
y unos ojos brillando de rocío.

Pañuelos blancos bajo el sol de mayo,
y en el taller un Gólgota en ensayo.

Amargura de amar. ¡Ay, pena mía,
huerto de olivos y de tu agonía!

Beso traidor y calle de amargura,
cruel mutilación de tu hermosura.

Saliva y negación, cruz y calvario,
y por piedad, la piedra y el sudario.

Alegría de amar, ¡flor de los trigos!
... Y luego te negaron tus amigos.

Amargura de amar, ¡costado abierto!
... Pero volvió a la vida el mundo muerto.

La alegría de amar se hizo amargura.
La amargura de amar, buenaventura.

MARAVILLATE, PASCUAL

La Purificación de la Virgen.

Estaba jugando Dios
con un lirio soberano;
se le cayó de la mano...
nació la Virgen María.
Mira tú cómo sería
de hermosa la flor aquélla,
que hasta la Gran Hermosura
no dudó en jugar con ella.
Hoy la flor, madre y doncella,
siendo espejo de blancura,
¡maravíllate, Pascual!,
se quiere purificar.

Rosa y luna no igualaran
toda su carne preciosa,
ni siendo la luna rosa,
ni siendo la rosa, luna.

Cristal, oro y sol a una
no forzaran su entrecejo,
ni oro y sol con su arrebol
ni el cristal con su reflejo.
Y siendo María espejo
de cristal, de oro y de sol,
¡maravíllate, Pascual!,
se quiere purificar.

Preciosa el alba y hermosa,
y cuando el sol aparece
ni el sol al alba empobrece
ni el alba empobrece al sol.
María, alba y farol,
dio a luz un sol de blancura.
Ni el sol amenguó belleza
ni el alba perdió hermosura,
y habiendo quedado pura
porque el sol era pureza,
¡maravíllate, Pascual!,
se quiere purificar.

...Y LA VIRGEN SE FUE

LA ASUNCIÓN DE MARÍA.

Todo fue tan sencillo...
Un ángel abrió el ala,
la Virgen sobre el ala puso el pie,
entre el ala y el pie Dios puso el dedo
y la Virgen se fue.

Todo en la casa estaba
lleno de sencillez.
Un rescoldo de arcángel retemblaba en el aire;
humildemente fiel
el silencio inundaba de paz todas las cosas.
Nazaret,
en un gesto perenne de Virgen anunciada,
seguía siendo huerto,
oración, timidez;
y la Virgen María
era una anunciación perpetua en Nazaret.

Ella, serenamente, como todos los días,
visitó su rosal, visitó su taller;
el taller, relicario de sus melancolías,
ungido de recuerdos de Jesús y José.

Allí estaban las cosas, tal como las dejó
Jesús cuando se fue
a curar la rebelde
ceguera de Israel.
Un olor a viruta bíblica se esparcía
en el aire, y había,
infantil Redención,
Gólgota en miniatura,
una cruz de aprendiz clavada en un montón
de astillas y amargura.
El taller parecía una escuela de cruces,
donde el niño aprendía a hurtadillas a ser
un día Redentor;
donde Dios se probaba una vez y otra vez
la cruz de su dolor,
desde aquella pequeña donde apenas cabía
un racimo de uvas y un hatillo de mies,
hasta la cruz perfecta y grande donde un día
le cabrían holgados las manos y los pies.

La Señora María
se despidió de todo porque se iba a rezar.
Detrás de las palmeras la tarde se vencía;
en el jardín el agua seguía su cantar.

De pronto, un aire leve de sabrosa armonía
se entró por el jardín; el vientecillo leve

que una mañana fue temblor de Avemaría
y una noche blancura y pimpollo de nieve.
El vientecillo leve, sutil embajador
de todas las sencillas grandezas del Señor.

La Señora María
abrió la puerta y dijo al viento: Pasa.
Y al momento
se le llenó la casa
de un suavísimo viento.
De un viento conocido y no olvidado
que mansamente el alma le traspasa;
de un viento enajenado
que al pie plumas le da y ala al costado.

La Virgen no sabía . . . ¡y lo sabía!
de dónde le venía
tan grande encantamiento
y qué nueva tan nueva le vendría
con la divina gracia de aquel viento
Mas, gozosa, humillada,
y la voz anegada de delicia infinita,
la Virgen dijo: Ha tiempo que espero tu visita
y heme aquí preparada.

Y todo fue un sencillo dormirse en el encanto,
y dejarse coger,
sentirse leve el cuerpo y verse por el aire,
y subir por el aire . . .
y perderse después.

Como todos los días
llegaron a la casa Juan y la Magdalena para ver
a la Virgen María.
La Señora no estaba.
La Señora se había ido de Nazaret.

—¿Dónde está la Señora?
—No la busques, María. La Señora se fue.
Dios la tomó en el aire,
la llevó por el aire . . .
la Señora se fue.

—Mas, ¿dónde está su cuerpo?
—No lo busques, María. La Señora se fue.

—¿Y su cuerpo también?
—¿Por qué no, Magdalena? ¿Acaso le pesaba
tanta nieve purísima en la sien,
tanta nieve castísima en el seno,
tanta nieve levísima en el pie?
No la busques, María. La Señora se fue.

Así: sencillamente. En un día cualquiera
cuando todas las cosas
cumplían su destino de paz en Nazaret,
un ágel vino y abatió la pluma,
sobre la blanca pluma la Virgen puso el pie,
y tomándola Dios la suspendió en el aire . . .
la llevó por el aire . . .
y la Virgen se fue.

CANCION DEL ORO
Y DEL BARRO

GRITO AL NIÑO DE ORO Y DE BARRO

A JULIO ALEJANDRO.

...¡Y yo no pude esperar!

El amor, ese niño de oro y de barro,
no llegó en silencio
a mi cárcel maldita.
Yo era un fanal claro,
con un corazón nuevo y erguido
y casi inmaculado.
¡Ay, mi cabaña de ignorancias,
y mi corazón ruborizado,
y qué niño ángel me corría y reía
con su vestido blanco, blanco, blanco!

Y el niño de oro
quiso jugar al aro
con mi niño que le temía al aire.
¡Y qué brillante el aro!

Oro, oro, oro y oro
en círculo, rodando.
Mi corazón quiso llenarse
de aros, aros, aros...

—No, no. Te quemarás las manos...
Te caerás rodando por el monte...
Te mancharás tu vestidito blanco...

Y el niño de barro
empezó a quebrar estrellas,
como una noche, sobre un charco.
Y mi niño alargaba los ojos
y la voz y las manos...:
—¡Yo quiero el charco... Yo quiero el charco...!

—No, no. Te mancharás tu vestidito blanco...

Pero mis espejos de niño, mis espejos
ya estaban reflejando aros, charcos, aros...

Y el niño de oro y de barro
empezó a gritar en mi interior,
largo, martillo largo:
Estrellas en los surcos...
¡mira qué cielo se quebró en mi campo!
¡Ay, que me abraso!
Vente, niño enfermizo,
y yo te llenaré de luz las manos.
Amor... y el cielo, amor;
amor... y el barro, amor...
amor al aro, el charco...

Vente y conjugaremos

Amo . . .
amas . . .
amo.

Se me clavó su grito
por todos los costados,
mientras yo me probaba
el traje de la vida.
El grito, por mi alma
fue botando, botando
igual que un eco múltiple
de monte en monte, largo.
Tanto gritó, que el corazón
se me vino a los labios,
para gritar también
como espejo del grito:
¡Amo! ¡Amo! ¡Amo! ¡Amo!

—¿Pero qué . . .?
—No sé. ¡Amo!
—¿Pero a quién . . .?
—No sé. ¡¡Amooo!!
—¿Pero por qué . . .?
—No sé. ¡¡¡Amooooooo!!!

Pareció que la carne me crecía.
Me sentí alto, ancho.

Rompí cerrojos dormidos,
¡qué gozoso despertar de mi letargo!

Quebré cerraduras muertas,
¡ay qué alegría nueva en mis candados!
Quité la arena dura del resquicio.
¡Ay risa de mis huesos apagados!

... Y abrí la puerta al fin. ¡Ay, qué visión
de luz en mis primeros sueños largos!

Y me lancé sediento, a beber chorros de oro,
chorros de claridad, torrentes anchos
de luz indómita.
Yo mismo era,
oro toda mi carne, caminando,
como si el sol me hubiera dado, virgen,
la plenitud de un nuevo rayo.

Me sentí fuerte, joven,
y era como si, entre mis manos,
se quedara la vida, ¡toda mía!,
aleteando como un pájaro.
Y qué pequeña la vida
en mis puños cerrados.

Quemé mi cabaña de ignorancias
con aquel fuego hermoso recién estrenado.
y me quedé solo, limpio, desnudo,
con una rosa espada entre las manos,
lírico campeador de lo infinito
en una eternidad abandonado.

El amor me brillaba, ¡con qué brillo!
por todos los costados.

Me lancé senda arriba y ladera abajo,
y grité loco, como un loco que amara:

¡Amo!
¡¡Amoo!!
¡¡¡Amooo!!!
¡¡¡¡Amooooo!!!!

Amo la plenitud adolescente,
amo la eternidad, siempre nueva y tan niña,
amo el charco de estrellas
y el barrizal de nardos.

Amo mis huesos sucios, quebradizos, mortales,
—columnas aminorándose a cada paso—
y mis columnas interiores
con su yedra de astros.
Amo el cielo y la tierra,
aquél con su pureza, ésta con sus pecados.
Amo mi inmensidad de Dios
y la desesperante brevedad de mi barro.

Y sé que mi amor es loco,
divino y torpe, porque amo
lo que palpo con el alma
y lo que toco con las manos.

Pero tengo que amar,
porque mi corazón está dorado,
y es una primavera turbia, pero infinita,
que se desborda inconteniblemente.

Y porque amo,
tengo que gritar,
tengo que quebrarme, extinguirme, gritando:

¡Amo!
¡¡Amoo!!
¡¡¡Amooo!!!
¡¡¡¡Amooooo!!!!

—Pero, ¿por qué . . .?
—No sé. ¡AMO!

Y con el pie sobre mi celda eterna,
—¡ay, celda de horizontes apagados,
infinitamente solos,
donde mi hueso, inmóvil, se irá desmenuzando—,
mi grito morirá para vivir
en un eterno ¡¡¡AMO!!!

CANTO DE JUVENTUD

Epístola a un poeta joven, cantor de la muerte.

A JULIA MAURA.

¡Sangre! ¡Sangre! ¡Sangre!

La Juventud pasó junto a las rosas
y se llevó la sangre de las rosas.
Pasó junto a los potros
y se llevó la sangre de los potros.
Pasó junto a los ríos
y se llevó la sangre de los ríos.
Pasó junto a los chivos
y se llevó la sangre de los chivos.

Rosa, potro, río y chivo.
Rosa para el piropo y la fragancia
y potro para el brinco y la elegancia.
Río para el amor y la inconstancia,
chivo para el placer y la ignorancia.

Y sobre tanta sangre, el aire. ¡El aire!
como un liviano rey de su sangre de abril,

para vivir y no pensar
nada más que en vivir.

¡Sangre! ¡Sangre! ¡Sangre!

La Juventud pasó junto a los ángeles
y se llevó la sangre de los ángeles.
Sangre de San Gabriel para el requiebro,
sangre de San Miguel para la lucha
y de San Rafael para el camino,
sin más alforja que un buen pez de estrellas
y una copa de vino.

¡Sangre! ¡Sangre! ¡Sangre!
¡Sangre, canción, amor, piropo y grito!

Por eso me da pena de tu mentida juventud
abocada a una muerte sin remedio,
como barca sin luz, varada en una playa
de marineros muertos.
Esa mentida juventud que vive
muriéndose por dentro.
Que habla de muertes, como si sus flores
no fueran oro nuevo
antes que podredumbre,
fracaso y cementerio.
Mentida juventud que canta ruinas
cuando aun no sabes nada del portento
de tu divina juventud.

¿Acaso ignoras
que hay que saber, primero, la gloria de la vida

para poder cantar la pena y el musgo de su ruina
cuando llegue su tiempo . . .?

¿Por qué te sientas, joven Jeremías,
sobre Jerusalenes que aún no has visto,
si tienes piernas de oro
para bailar como un David celeste,
ebrio de risa sana y paso limpio . . .?

¿Por qué ese triste empeño
en ser niebla de invierno si eres sol de verano . . .?
¿Por qué esa triste norma de ser halo de muerte
cuando tienes la vida que te brinca en las manos . . .?

Se te pasan los días meditando
en la amargura de morir,
y dejas que en tus dedos se agote sin provecho
la meridiana rosa de existir.

Vives atormentado pensando que, a tu muerte,
Mayo hará su visita de perfume a los huertos
y a los enamorados. Y sabes bien que a Mayo
le importará muy poco que tú ya te hayas muerto.

Y mientras lloras ¡pobre! por todos esos siglos
en que habrá primaveras, sol, pecados y amor
bailando alegremente sobre tus huesos y tu olvido,
te olvidas de gozar la actual primavera
y el regalo presente del canto y del latido.

Y al apurar tu angustia de profeta vencido,
de profeta que llora su futura agonía,

te olvidas de que tienes en la sangre atrevida
la flor de la aventura,
y en la tibia garganta la flor de la armonía.

¡Canta, pues, tu canción de primavera!
Canta la sinrazón de tu florecimiento,
y canta esa grandiosa razón de juventud,
que te obliga a cantar
y a mirar la tierra desde arriba
y a tocar las estrellas
con la mano de pompa y perfume de tu humana ilusión
que ya madurarás y caerás de la rama,
para tocar la tierra con la frente,
con la amargura y con el corazón.

Me dirás que hay que estar prevenidos
para el futuro incierto.
Y yo te digo:
¿Es que la flor tiene otra prevención
para ser luego fruto,
si no es la de cumplir su misión de ser flor...?

Me dirás que la vida es breve.
¡Y yo te digo:
¿Es que la rosa es bella porque es rosa,
o más bien por la pena de que sea tan breve,
siendo hermosa...?!

Me dirás que pretendes la perfección difícil
del amor razonado y la sangre con riendas.
Mas yo te digo que la juventud perfecta
en sangre y en amor,
es el mayor pecado contra la primavera

Me dirás que vivimos en un valle de lágrimas.
Y tú ignoras que el llanto es la amargura
de todo lo perdido,
y el desencanto frío
de todo lo soñado,
y la cruz y el calvario
de un paraíso hundido
y la mueca que queda
después de haber reído.
Y no sabes por tanto,
que sin flor de sonrisa
no hay manzana de llanto.
Y que sin la sonrisa de tu sangre encendida
no hay razón a la pena de tu sangre apagada.
Y que sin el pecado de tu risa triunfal,
es inútil la amarga redención de tus lágrimas.

¿Por qué lloras, amigo, tu castillo vencido,
si aún no lo has levantado . . . ?
¿Por qué lloras, amigo, tu día desmayado,
si aún no has amanecido . . . ?
Si no edificas torres de ilusión en el viento,
¿quién las va a derribar,
para que puedas tú justificar esas lágrimas
sobre el escombro de tu brevedad . . . ?

. . . ¿Quieres llorar sobre tumbas de Mayo
y mortajas de Abril . . . ?

Deja entonces que Mayo y Abril jueguen y salten,
sientan, amen y rían, gocen, canten y vuelen
y vivan dentro de ti,

y mueran, lentamente o de un golpe de sangre,
cuando hayan de morir.
Y así podrás saber
cuando Mayo haya muerto y Abril esté vencido,
la pena, el desencanto y el dolor de no ser,
después de haber gustado la gloria de haber sido.
Piensa, además, amigo, tu misión en el mundo
de perfumar la vida y de alegrar los años
a los que ya han perdido su aroma en un invierno,
a los que ya han perdido su risa en un engaño.

Y si tú, juventud, música de la vida,
teniendo sillas de oro y voz recién nacida,
sobre escombros sin causa te sientas a llorar,
¿quién va a cantar...?
Y si tú, semilla de la vida y alegría del mundo,
negándote a reír te niegas a vivir,
¿quién va a reír...?

¡Ay, desorden del llanto y juventud perdida!
Cuando seas maduro de sangre y pensamiento
has de llorar más muertes, más muertes todavía.

Porque tuviste ojos donde pudo el cielo
dar brincos como un niño sobre estanques gozosos,
pero tú los llenaste de ortigas prematuras
y de cristales rotos.

Porque tuviste boca para que la alegría
saltara a borbotones de sangre jubilosa,
como una pulpa viva,
mezcla de beso y luz, herida y rosa,

pero tú la dejaste ahogarse lentamente
entre lágrima y sombra.

Porque tuviste manos para tirar estrellas
como un gran Arlequín del mejor carnaval,
pero tú la llenaste de pedazos de barro,
agrios de podredumbre, secos de soledad.

Porque lloraste tanto tu fingido fracaso,
apoyado en tu esquina sin amor,
teniendo cien esquinas de amor a cada paso,
y en cada esquina cien bocas en floración.

¡Ven, amigo, a la vida! A cantar la alegría
de sentirte floridos los labios y los huesos,
si puede ser, con soles,
pero mejor, con besos.
A cantar la alegría de la sangre caliente
asomada a la puerta de tus cinco sentidos,
para encenderla de universos hermosos,
inquietos como potros y alegres como niños,
porque así tenga Dios en tus pulsos de estreno
pájaros y perfumes y no llanto y suspiros.

Y a cantar esta humana alegría de llevar
una espada de amor en un tahalí de estrellas,
un piropo en los labios como un reto de gloria
y una ilusión al aire como un penacho de oro.

Y a cantar esta sana alegría de tener
los pies ligeros, y de ver
el balón por el viento

como un planeta niño
con el que puedes jugar,
y la alegría de correr
y de saltar,
y la alegría de ser
voz a punto de grito y a punto de cristal,
y esta deslumbradora alegría de tener
las sienes rojas y la espalda en flor,
para que el mundo pueda morir alegremente
reclinado en tus hombros, como en plumas de amor.

BARQUITO DE PAPEL

A Aurora Jauffret.

I. Astillero.

Para hacer
un barquito de papel,
basta tener ilusión.
Que toda ilusión es una
fragata de viento y luna,
de jabón y de papel,
en la que va el corazón
más que como timonel,
como polizón.

II. Botadura.

Barquito de vela,
¡vamos a la mar,
con una rosa de vientos
encendida en el compás!
Abre el ala de gaviota
entre la espuma y la sal,

y piensa que va en la proa
la ilusión de un capitán.

Barquito de vela,
¡vamos a la mar!
¡Cuidado con esa rana!
...Mira que te va a tragar...

III. Singladura.

Cargaremos en un día,
según orden superior,
tulipanes en Holanda,
dólares en Nueva York,
naranjas en Almería,
en Mallorca paz de Dios,
y llevaremos, oculto
en la bodega mayor,
desde Sevilla hasta Londres
un contrabando de sol.

IV. Levando anclas.

Mientras va levando anclas
mi barquito de papel,
yo dejo un amor en Cádiz
y un medio amor en Argel.
Por ser italiano en Nápoles
y en Marsella, marsellés,
a barcarola o a sangre
gané mujer y placer.

Que todo marino quiere
y puede y debe tener,
un amor en cada puerto,
y más de uno también
y un piropo a media tarde
y un beso al anochecer.
Promesas a media noche
. . . y olvido al amanecer.

Pero viremos a Cádiz
¡te lo ruego, timonel!
. . . Aquella bata de cola . . .
aquélla . . . no la olvidé.

V. Alta mar.

. . . ¡Mira cómo nos persigue
un pez como un tiburón . . . !
Déjalo, fragata mía,
¡déjalo!,
y ya verás cómo acaba
tragándose al ruiseñor
que está picando en el agua
hojas de vidrio y resol.

VI. Tempestad.

El niño —Cíclope enorme
de una isla de arrayán—
está viendo mi fragata
y la quiere apedrear.

—Niño: no muevas el agua.
...Mira que la tempestad...
¡niño!!!
Y el niño tiró
la piedra en medio del mar.

Como una bandera azul
el agua empezó a ondear.
¡Malhaya sea la piedra
y el niño y la tempestad!

VII. Naufragio.

Yo, Ministro de Marina
de este pedazo de mar,
doy cuenta a todos los puertos
con este parte oficial:

"En las costas de Sanlúcar,
y a causa del temporal,
ha encallado una fragata.
Venía de Portugal
y llevaba un cargamento
de estrellas a Gibraltar.

"Con la fragata se ha hundido
la ilusión de un capitán."

MI BARCA

A BEATRIZ PARRA.

La barca . . . la barca . . .
Así:
sólo con decir: La barca,
huele a marisma la boca
y sabe a sal la palabra.

La barca . . . la barca . . .
Así:
con sólo decir: La barca.

¿Que cuánto quiero por ella . . . ?
¡Venga conmigo a la playa!

Por una quilla de oro
y dos remos de esmeralda,
le vendo . . . el aire que hay dentro.
Por una rosa de nácar,
. . . la arena donde se acuesta.

Y por un timón de plata,
ese mar en dormivela
en el fondo de la barca,
donde estrellas marineras
reman de noche a sus anchas.

Aire, arena y agua. ¡Todo
lo vendo . . . menos la barca!

Aquí la tiene: bonita
como novia enamorada
por la quilla, sueño verde,
por la vela, nube blanca.

Cuando está en la playa pienso:
¿ . . . si soñará con el agua . . . ?
Cuando está en el agua, digo:
¿ . . . si soñará con la playa . . . ?

La trato como a una mujer,
y así está ella: le saltan
la presunción y el orgullo
cuando duerme y cuando anda.

. . Con decirle . . . ¡que le viene
pequeña toda la playa!

Que en esto de los amores,
mujer y barca, se pasan
de orgullosas, por queridas,
de presumidas, por guapas.

. . . ¡Y cuando se lanza al mar,
además de guapa, brava . . . !

Mete el pecho, hunde el casco,
se enjoya de espuma blanca,
cruje el agua en las amuras,
ella, altiva, la rechaza,
y cuando se deja atrás
la nieve, el oro y el nácar,
se esponja, se empina, se
contonea y se acicala,
como hembra que se sabe
fina, bonita y en andas.

¡Una reina, no sería
tan reina como mi barca!

. . . ¡Y si viera cuando corre . . . !
¡Caballo con la crin blanca,
que va levantando polvo
de espuma sobre esmeralda.

Algunas noches la luna
suele tirar sobre el agua
un rayo que dicen que es
un camino o una espada.
Y yo sé que no es un rayo,
sino una alfombra de plata
que va tendiendo la luna
para que pase mi barca.
Y en esas noches de luna
se pone a bailar mi barca,
bata de cola la espuma
peina la vela salada.

Y, al embrujo de su baile,
el mar se enamora y baila.
Y mientras que las estrellas
se asoman a las ventanas
para llevar el compás
con sus manitas de plata,
baila el viento con la vela,
baila el remo con el agua,
bailan la luna y el pez,
la sombra y la luz, y bailan
el timón con las espumas
y las olas con mi barca.

...¿Que cuánto quiero por ella...?
Mi barca no es sólo barca:
cuna, mástil, timón, remo,
quilla verde y vela blanca.
Mi barca es la sal del mar,
que se hizo piropo y gracia,
con un nombre: Soledad,
sobre este nombre: Mi barca.

Mi barca... mi barca...
Así:
con sólo decir: mi barca,
huele a marisma la boca
y sabe a sal la palabra.

...¿Qué cuánto quiero por ella...?
¡Mi barca no es sólo barca!

LECCION DE GEOGRAFIA

EL AMOR, PUNTO CARDINAL.

A PILAR Y ALFONSO PEÑA.

Yo no sé nada de nada.

Francia, al Norte . . . ;
al Sur, Granada . . . ;
oro y fuego, al Ecuador . . . ;
al Oeste, Portugal . . .

¿Y el amor?
¿Es que el amor se ha quedado
sin su punto cardinal? . . .

¡Pues yo lo téngo anotado
en mi pobre geografía:

Al Norte, tú, noche y día;
al Sur, tú, tarde y aurora;
al Este, tú, vida mía,
y al Oeste, hora tras hora.

Oro y fuego al Ecuador. . .
Mallorca y Venecia al Este . . .
¿Y el amor?
¡Norte, Sur, Este y Oeste!

LA LLUVIA

A Aurora Lezcano.

Tengo un amor. ¡No quiero que llueva!
Tengo un amor. ¡No quiero que se enfríe!
Que baje, que baje la Virgen de la Cueva
y a mi amor entre plumas de arcángel me lo líe.

La lluvia me da frío.
La lluvia, y el pensar que ahora esté el amor mío
sin una rama amiga bajo la que ampararse,
teniendo yo estos brazos llenos de escalofrío
bajo los que podría, ¡ay, amor!, resguardarse.

¿No tendrá una cabaña, Dios mío... ?
¿Una tapia siquiera,
para que el aire, al menos no le azote la cara, y el frío
le llegue de soslayo, casi sin que le hiera?...

¿No tendrá nada de eso?...
¿Estará al aire libre, sin amparo y con lluvia,

lo mismo que una piedra,
teniendo yo en mi boca la cabaña de un beso
y en mi pecho una tapia de amor, con sol y yedra? . . .

Yo estoy tras los cristales de mi melancolía,
con el fuego a la espalda, y este plomo del día
retratado en los ojos,
pensando blandamente,
lo bien que te vendría
una caricia mía
para secar tu frente.

CON LA TARDE AL HOMBRO

A Francisco de Cossío.

La tarde está tan aire, tan fina,
tan poca cosa,
que una golondrina
la podría llevar presa en el pico,
y no le pesaría lo que una rosa.

El sol, ¡pobre niño chico!,
se ha perdido en el bosque de oro del arrebol.
. . . ¡Y dicen que es grande el sol!
Y ahora es un pequeño
barco,
que cabe en cualquier charco
y se hunde en cualquier sueño.

Como una llama que tuviera frío,
un resquemor de sol tiembla y naufraga
sobre el río.

Y el río es una llaga
de la tarde serena.
El aire está empañado
de nostalgia y de arena.
¡Qué suave el paisaje bajo este empolvamiento
dorado!
¡Qué leve y breve el monte!... Lo podría
sostener en la mano.
...Todo el viento
se está quedando muerto sobre el llano.

La tarde está sin peso, como el ala entregada
de un pájaro dormido;
como la sosegada
pradera del olvido;
como un recuerdo que se va borrando
sobre la dulce almohada;
como un amor que se nos va quedando
sin nada.

Tan fina está la tarde, tan ligera,
que si me la echo al hombro,
me pesará lo que esta primavera
que me sube a los labios cada vez que te nombro

¡Qué retardado escombro
de derrumbado sol en las colinas!
¡Qué ruinas
de canción y de viento
por la llanura arrodillada!
...Ya se quedan rescoldo la voz y el pensamiento.

. . . Ya va, algodón dormido, la nube amodorrada.
. . . La tarde y mi encantamiento,
ya no pesan nada.

Y, sin embargo, cómo pesa
este resol agónico del día
sobre los pulsos y las cosas.
¡Y qué manchadas de melancolía
quedan mis ilusiones y las rosas!

RUINAS

A Rosina de la Quintana.

De nuestro beso queda apenas
el musgo amigo de las ruinas.

Donde estuvieron las almenas
del encendido sentimiento,
hoy se mecen al viento
el jaramago y las espinas
del olvido.

¡Ay, ruinas de aquel dulce encantamiento!
¡Ay, castillo de amor, vencido!
. . . Con lo que yo he temido
este derrumbamiento.

Olas de yelo tengo batiéndome el latido,
la memoria y el hueso.
Un yelo de recuerdos y de olvido.
Y todo . . . por un beso.

¡Un beso! Ya ves tú qué poco ruido...,
¡pero cuánta armonía!
Qué poca luz...,
¡pero cuánta ceguera!
Qué poca voz...,
¡y cuánta poesía!
Qué poca flor...,
¡y cuánta primavera!

Un beso..., un beso... Un beso que era
mudable, como ventolera,
y frágil, como mariposa,
y era ligero como un día
y era más breve que una rosa.

...Y era más breve que una rosa,
pero a su lado, el mundo parecía
una pequeña cosa.

ALERTA, AMOR

¡Alerta, amor!, mi voz grita, despierta,
centinela de amor en madrugada,
y, soldado de sangre enamorada,
mi corazón responde: ¡Amor, alerta!

Fría la noche está; la ciudad, muerta.
Mas ¿qué mano dulcísima y callada
pulsa este Mayo sobre mi almohada
y cuelga un sol en la ventana abierta?

¡Alerta, amor! Mi sangre es ya de día
y es tu nombre cien veces deletreado
como un fresco rocío en mi garganta.

Muda está la ciudad, la noche fría.
Pero una lumbre vela en mi costado
y un ruiseñor junto a la luna canta.

EL AGUILA

A GONZALO DE FIGUEROA.

I

El águila no sabe nada de las rosas,
¡y hace bien!
Las rosas languidecen y hacen languidecer.

Y quien hace de sus alas un abanico de plumas
para abanicar al sol;
quien se sabe de memoria las estrellas y las cumbres
y más de una vez se ha visto perdida en un arrebol,
perdería majestad si, ante cumbres y ante estrellas,
presumiera de llevar una rosa por airón.

Las rosas languidecen y hacen languidecer.
Por eso el águila no sabe nada de las rosas,
¡y hace bien!

II

Y, sin embargo . . . ,
al águila le gusta llevar entre sus garras
calambres de serpientes, tortugas asustadas,
zorros abandonados y entrañas de chacal,
¡y hace mal!
Que entre llevar por el aire como un despojo triunfal,
un rosal o una tortuga,
yo me llevaría el rosal.

III

Mas si el águila
—esa mezcla poderosa de soberbia, viento, pluma y rapidez—
apresara entre sus garras un león,
—esa mezcla poderosa de rugido, selva y piel—,
¡haría bien!, ¡haría bien!

¡Qué hermoso sería tener ojos y alas de águila,
la cola desplegada para tapar al sol,
y abajo, entre las garras,
una maravillosa melena de león!

SOBRE LA TRILLA

Espera, mula; espera, trilla; espera,
moreno segador del afán mío;
siega mi corazón de duro estío,
tíralo, espiga roja, sobre la era.

Trilla a todo trillar mi primavera
y esto que ya comienza a ser hastío,
que quiero ver si está lleno o vacío
el grano de mi vida pasajera.

Cuánta babosa anduvo por su caña;
cuánta cizaña se cebó en su vida
y cuánto viento provocó su angustia.

Y temo que babosa, aire y cizaña,
lo hayan dejado en la primer huida
solo y vacío y con la frente mustia.

CAPRICHO

Voy a comprar un poco de paciencia
para este potro saltarín del pecho,
y lana azul porque me queda estrecho
este remordimiento de conciencia.

Y sandalias de cáñamo divino
para correr tras mi inocencia huida
y una alforja de amor para la vida
y otra de cielo y pan para el camino.

Voy a comprar también zarzas de acero
para esta carne demasiado ansiosa
que busca rosas y se muere entre ellas.

Y luego, si me sobra algún dinero,
como una golosina deliciosa
me compraré un cartucho con estrellas.

CARNAVAL

Ponme dos ríos en las manos;
que quiero ir al carnaval
con un manojo, un buen manojo
de serpentinas de cristal.

Cíñeme un árbol en las sienes;
que quiero ir al carnaval
con la cabeza bien a pájaros
que no se cansen de cantar.

Ponme un verano entre los labios;
que quiero ir al carnaval
bien enchivado para el beso,
bien sediento para el champán.

Y en una bolsa ponme un llanto
con un sollozo de verdad;
me han de servir seguramente
cuando se acabe el carnaval.

EL DIA

A Xandro Valerio.

Apenas voz y apenas sentimiento,
musgo de eternidad y de alegría,
¡ay!, la ligera posesión de un día
con su rastro de sol y alma de viento.

Arco de luz triunfal para un momento,
¡oh día, alba clara y tarde fría,
desventura de amor, flor de agonía
y muerte al fin apenas nacimiento!

¡Cómo me asusta tu lección! ¡Qué rosa
de yelo me florece en el latido,
y qué arroyos de miedo por mis venas!

¡Que yo también caminaré a mi fosa
como un espejo tuyo, y habré sido
apenas voz y sentimiento apenas!

JOSE ALFONSO DE GABRIEL

(Poeta, muerto a los veinte años.)

A SU MADRE.

Tenía veinte años. ¡Poco es eso!
Pero menos aún si en ese poco
no se ha podido ser un tanto loco
entre vino, ilusión, amor y beso.

No supo más que de la blanca almohada
para descanso de su pensamiento.
Tuvo un cielo de cal sin sol ni viento
y una novia de luna imaginada.

Hizo versos de enfermo. Tristemente,
breve romance y vida sin rastrojos,
lo fue venciendo la melancolía.

Y una mañana azul, calladamente,
un ángel vino y le cerró los ojos.
Y se murió como una poesía.

EL NOVICIO

A Miguel Pérez Ferrero.

Él iba con los ojos entornados,
dulce de voz y místico de frente,
a no sé qué caminos sin pecados,
sin mujer, sin paloma y sin serpiente.

Reclinado en el aire blandamente
como sobre purísimos costados,
veía un Thabor de oro en el poniente
y un pan celeste en todos los sembrados.

Hablaba sin palabras con las cosas.
Mas con las flores no, porque tenía
miedo de solazarse con las rosas.

Por la noche lloraba ante el Sagrario,
por no sé qué pecado, y se dormía
con una disciplina y un Rosario.

COMO DIRAN QUE YO ERA

El era como todos. Pero era
demasiado infantil en la alegría.
Le decían poeta, y se reía,
ni altiva torre ni fingida cera.

Era poco brillante en su manera.
Sangre a punto de agosto le latía,
y era un poco volcán, pero tenía
un borde con bastante primavera.

Amó, pecó, lloró, naturalmente.
Tomó la vida siempre a flor de guiño
y cumplió, amor y canto, su jornada.

Y un día se murió sencillamente,
asustado y riendo como un niño,
que se encontró una estrella en la almohada.

INDICE

CANCION DEL ORO

CANCION DEL ORO Y EL BARRO

OBRAS DEL AUTOR

PRIMAVERA
(Agotada)

LA MUERTE PEQUEÑA

FRENTE AL TORO Y EL POEMA

DIARIO DEL AGUA

MI BARCA

EN PREPARACION

EL NIÑO, EL PERRO Y EL MILAGRO
y otros poemas

ESTAS COSAS DEL CAMINO

EL HUERTO

EL PEQUEÑO POEMA

JUGANDO AL TORO

POR LOS CAMINOS DE MEXICO

ESTA EDICION DE 3 000 EJEMPLARES SE TERMINO
DE IMPRIMIR EL 29 DE DICIEMBRE DE 1988 EN LOS
TALLERES DE LITHO OFFSET CONDE
ZARAZATE 105-A COL. EX-HIPODROMO DE PERALVILLO
06250 MEXICO, D. F.